Le mauvais coup du samedi

De la même auteure

Chez Soulières éditeur :

Le champion du lundi, 1998

Le démon du mardi, 2000, Prix Boomerang 2001, 3e position au Palmarès de Communication-Jeunesse 2001

Le monstre du mercredi, 2001, 2e position au Palmarès de Communication-Jeunesse 2002

Lia et le secret des choses, 2002

J'ai vendu ma sœur, 2002, Prix du Gouverneur Général du Canada 2003

Les petites folies du jeudi, 2003, Prix Communication-Jeunesse 2004, Grand Prix du livre de la Montérégie 2004

Le macaroni du vendredi, 2004, Grand Prix du livre de la Montérégie 2005

L'esprit du vent, coll. Graffiti 2005

Chez d'autres éditeurs :

C'est pas tous les jours Noël, éd. Héritage, 1994

Mozarella, éd. Pierre Tisseyre, 1994

Mes parents sont fous, éd. Héritage, 1996

Fous d'amour, éd. Héritage, 1997

Le cadeau ensorcelé, éd. Héritage, 1997

La tête dans les nuages, éd. Héritage, 1997

La queue de l'espionne, éd. Héritage, 1999

L'école de fous, éd. Héritage, 1999

Le cercle maléfique, éd. Héritage, 1999

Sapristi, mon ouistiti, éd. Michel Quintin, 2000

Fou furieux !, éd. Héritage, 2000

Le pouvoir d'Émeraude, éd. Pierre Tisseyre, 2001

L'animal secret, éd. Michel Quintin, 2001

La sorcière vétérinaire, éd. Michel Quintin, 2002

Sapristi chéri !, éd. Michel Quintin, 2003

La plus méchante maman, éditions Imagine, 2005

Le mauvais coup du samedi

un roman écrit et illustré par
Danielle Simard

SOULIÈRES ÉDITEUR

case postale 36563 — 598, rue Victoria
Saint-Lambert (Québec) J4P 3S8

Soulières éditeur remercie le Conseil des Arts du Canada et la SODEC de l'aide accordée à son programme de publication et reconnaît l'aide financière du gouvernement du Canada par l'entremise du Programme d'Aide au Développement de l'Industrie de l'Édition (PADIÉ) pour ses activités d'édition. Soulières éditeur bénéficie également du Programme de crédit d'impôt pour l'édition de livres – Gestion Sodec – du gouvernement du Québec.

Dépôt légal: 2006
Bibliothèque nationale du Canada
Bibliothèque nationale du Québec

Données de catalogage avant publication (Canada)

Simard, Danielle

Le mauvais coup du samedi.
(Collection Ma petite vache a mal aux pattes ; 65)

Pour les jeunes de 6 à 9 ans.

ISBN 2-89607-032-X

I. Titre. II. Collection.
PS8587.I287M38 2006 jC843'.54 C2006-942067-7
PS9587.I287M38 2006

Conception graphique de la couverture:
Annie Pencrec'h

Logo de la collection:
Caroline Merola

ISBN-2-89607-032-X

58665

À Dounia
qui m'a prêté son prénom.

Chapitre 1

La prison d'été

Je n'imaginais pas le camp de vacances comme ça. Il y a tellement de moustiques qu'on les respire. Les bâtiments ont l'air de vieilles cabanes sur le point de s'effondrer. Pourtant, des centaines de parents y abandonnent leurs enfants, en souriant. Les miens ne seront jamais capables de me faire un coup pareil !

— Je déteste cet endroit. C'est laid.

Comme si je n'avais rien dit, papa et maman entrent dans le « chalet des garçons ».

— Avec tous ces amis, tu ne vas pas t'ennuyer, déclare papa en traînant ma grosse valise le long du corridor.

— Ce sont des enfants que je ne connais pas. Et moi, je n'aime pas les enfants que je ne connais pas. Je suis trop timide.

Maman est aveugle ou quoi ? Ma « jolie » cellule est minuscule. En plus, il y a DEUX lits. Ah non ! pas question de dormir avec un étranger ! Je dois absolument sortir d'ici. Si ma mère ne voit plus rien, je sais comment lui ouvrir les yeux, moi.

— Tu ne peux pas me laisser dans ce trou, maman. Regarde : c'est sale !

Pour de vrai, il me suffit de passer la main sur la commode pour soulever un nuage de poussière. Mais « l'ex-Madame propreté » hausse les épaules devant mes doigts gris.

J'essaie tout de suite une autre tactique :

— Avez-vous vu l'âge des moniteurs ? Qui serait assez fou pour confier son enfant à une ado comme celle-là ?

Penchés à la fenêtre, mes parents jettent un oeil sur la monitrice aux cheveux roses. Le moment est tout choisi pour porter un grand coup :

— Je suis sûr qu'elle se drogue. Une chance que je m'en suis aperçu avant que vous ne partiez !

Ouf ! Maman est encore maman. Cette fois, elle frémit d'horreur, me prend par les épaules et s'écrie :

— Oh là là ! Viens vite, Julien, on va la dénoncer au chef de camp !

Puis elle éclate de rire.
Et moi de rage.

— Qu'est-ce qui vous prend à la fin ? Vous ne voyez pas que je suis en danger ?

— Non, répond maman, très sérieuse. Et toi, arrête de faire le bébé. Je te rappelle que tu as librement accepté de venir à la colonie de vacances. Eh bien, nous y sommes !

— J'ai changé d'avis. Je ne savais pas ce que je faisais. Allez, on s'en va !

Je saisis mon sac à dos sur le lit et je me dirige vers la porte. Mais plutôt que de me suivre avec ma valise, papa m'arrache le sac des mains et le remet sur le lit.

Maman m'attire contre elle.

— Je suis certaine que tu vas t'amuser comme un petit fou.

Dans deux semaines, on ne sera plus capable de te sortir d'ici.

Elle m'ébouriffe les cheveux et me pousse vers papa. Lui me serre très fort, puis me donne une bonne claque dans le dos, d'homme à homme. Et… et… ils sortent avec un dernier petit signe de la main, leur foutu sourire figé à jamais sur leur visage.

Moi, je reste tout seul dans ma cellule. TOUT SEUL !

Pourquoi ai-je accepté de venir dans ce camp où je ne connais personne ? Pourquoi ai-je laissé mes parents m'abandonner pour la première fois ? Pourquoi sont-ils partis au bord de la mer « en amoureux » ?

Ils ont passé l'âge d'être amoureux, il me semble !

Ma soeur, elle, va chez sa correspondante, en Ontario. Et moi... et moi...

Chapitre 2

Le nouveau Julien

Assis sur mon petit lit, tout seul, je ne vois plus rien. Il y a trop de larmes dans mes yeux. Elles coulent sur mes joues, brûlantes, puis dégouttent sur mes genoux.

J'entends une voix qui résonne dans le corridor :

— À bientôt, m'man !

— Sois sage, mon grand ! fait la « m'man ».

J'entends ensuite deux petits becs secs, des pas qui s'éloignent et la voix du garçon, maintenant tout près.

Les yeux vite essuyés, je vois la mine dégoûtée de mon compagnon de chambre. La gorge à peine éclaircie, je m'écrie :

— Ce n'est pas ce que tu crois. Mon grand-père est mort et je pensais à lui. Je l'aimais beaucoup.

— Ah, tant mieux ! Tu m'as fais peur.

Ouf ! J'ai sauvé mon honneur, et presque sans mentir : mon grand-père est vraiment mort... il y a six ans.

— Je m'appelle Cédric, annonce mon compagnon tout en ouvrant sa valise.

Avec précaution, il en retire une grosse boîte en métal. Le couvercle, percé de petits trous, est solidement maintenu par du papier collant.

— Moi, c'est Julien. Qu'est-ce qu'il y a là-dedans ?

Cédric éclate de rire.

— Une surprise ! Disons que c'est pour le « concert. » Tu es chanceux d'être avec un habitué, Julien. Je te garantis qu'on ne va pas s'ennuyer.

— Tu es déjà venu ici ?

— C'est ma deuxième année. Tiens, j'ai un petit creux. On va à la cantine ?

Cédric sort sans attendre ma réponse. Dans le corridor encombré de parents, de bagages et d'enfants, je le cherche un peu quand, soudain, j'entends sa voix :

— Ne me dis pas que tu t'ennuies déjà de ta maman !

Cédric est dans la porte de la chambre voisine. Il parle à un enfant qui pleure, recroquevillé sur son lit. Plutôt que de se défendre, le garçon continue à sangloter, le poing refermé sur une chaîne dorée.

— Veux-tu du lolo, mon pauvre tit-bébé robinet ? demande Cédric sur un ton d'arrière-grand-mère.

Mon nouvel ami est trop drôle. J'éclate de rire tout en l'accompagnant vers la sortie. Il marche comme si l'endroit lui appartenait. Les autres s'écartent pour nous laisser passer, l'air intimidé.

Ouais ! Je suis vraiment chanceux d'être tombé sur Cédric.

Dehors, nous piquons à travers bois en galopant comme des chevreuils. Mais à l'approche de la cantine, Cédric me fait signe d'avancer sur la pointe des pieds.

Un coup d'oeil dans la cuisine : personne !

Nous jouons à qui peut engloutir le maximum de biscuits et de lait en deux minutes : gagnants *ex æquo* !

Nous passons ensuite dans la salle à manger.

Cédric dévisse le couvercle d'une première salière, puis d'une deuxième, tandis que je dévisse celui de la troisième. Maintenant, c'est à qui en dévissera le plus ! Nous rions tellement que nos biscuits vont nous sortir par le nez, la bouche et les oreilles, avec le lait.

Maman avait raison : je m'amuse comme un petit fou.

Une heure plus tard, nous retournons à la salle à manger avec tous les autres. Les bols de soupe fumante attendent sur les tables. Aussitôt assis, des dizaines d'enfants tendent le bras vers une salière. Ils vont être servis !

Les cris de surprise éclatent de partout, suivis d'un énorme éclat de rire. Il n'y a que notre voisin de chambre, assis en face de moi, qui continue à pleurnicher.

Tout à coup, il me vient une bonne blague. Je m'écrie :

— Regardez ! Lui, il a trouvé le meilleur moyen de saler sa soupe. Les larmes, c'est salé et ça n'a pas de couvercle dévissé !

Les rires fusent de plus belle et ça me fait tout drôle. D'habitude, je ne suis pas du côté de ceux qui rient des autres. Je suis plutôt du côté de ceux dont on rit. Mais ça, personne ne le sait ici.

En un éclair, je saisis ma chance : je vais enfin pouvoir devenir un nouveau Julien Potvin. Je vais même me faire passer pour un Cédric. Et maman ne devinera pas ma tricherie, rien qu'à voir mon air dans quelques heures. Maman est loin. Très, très loin !

Aucun de ces visages inconnus, autour de moi, ne me fait peur. Au contraire ! Quand le petit braillard essuie ses yeux avec un kleenex, je m'écrie :

— Tu pourrais offrir des larmes aux autres, égoïste !

Ma voisine me trouve tellement comique qu'elle recrache sa soupe sur la nappe. Je me tourne vers elle :

— Merci, mais tu as manqué mon bol. Vise mieux, la prochaine fois !

Tout le monde en pleure de rire. Même moi !

Chapitre 3

Le concert

Après le dessert, on annonce un rassemblement sur le terrain de soccer. Cédric m'entraîne en retrait, juste à l'orée de la forêt. Quand le chef de camp commence son discours, toutes les têtes se tournent vers lui, sauf la nôtre. Nous courons déjà à travers la forêt, jusqu'au chalet des garçons.

Je me demande ce que mon joueur de tours mijote… Ah ! Il

est venu chercher sa grosse boîte de métal trouée.

— Au chalet des filles ! lance-t-il aussitôt.

Et la course folle est repartie ! Il n'y a rien de plus formidable que la vie d'agent secret. Même parmi les maringouins !

Cédric rit tout seul en pénétrant dans le chalet désert.

— Tu vas entendre un concert inoubliable ce soir, me promet-il. Je prépare ça depuis des mois.

Mon compagnon va alors s'agenouiller dans un coin du salon des filles. Il dépose sa boîte par terre, puis en retire le papier collant et le couvercle troué. Je passe à un cheveu de m'évanouir : la boîte grouille d'araignées ! Elles sont au moins une centaine. Et pas des petites !

Dès que les monstres à huit

pattes sortent de la boîte, nous fuyons le chalet à toutes jambes.

Je me planque avec Cédric sur le côté du bâtiment. À l'abri du gros sapin, nous avons les yeux juste à la hauteur du rebord de la fenêtre du salon. Pour l'instant, la pièce est plongée dans la pénombre et je regarde plutôt le soleil qui descend vers le lac, à ma gauche.

Soudain, l'air s'emplit de jacassements. Nos victimes approchent !

Ça y est ! Des pas résonnent sur les trois marches du perron. À l'intérieur, une lumière s'allume, puis une autre, puis celle du salon. En retenant notre souffle, nous regardons les filles se jeter sur les sofas ou s'asseoir par terre.

Hiiiii ! Le premier cri éclate, sur une note très aiguë, bientôt soutenu par l'accord de deux hurlements plus étouffés. De petites notes tremblotantes fusent de façon désordonnée jusqu'à ce qu'une suite de « Ah ! », « Ah ! », « Ah ! » se mettent à battre la mesure.

Bientôt, toutes les filles hurlent. Cédric avait raison, c'est un vrai concert. Une symphonie hystérique en cris majeurs ! D'ailleurs, il a ramassé une branche qu'il agite comme une baguette de chef d'orchestre.

En plus, c'est un ballet. Les crieuses font des sauts prodigieux, des triples axels, des quadruples boucles piquées. Le spectacle est total. Je n'en crois pas plus mes oreilles que mes yeux quand… je la vois !

Ah ! Elle est plus belle que la belle Gabrielle. C'est tout dire. Elle se tient là, près de notre fenêtre. Sans crier, sans sauter, sans s'occuper des autres, elle admire une araignée géante posée sur le dos de sa main. De l'autre, elle l'empêche de s'enfuir. Je l'entends qui s'exclame :

Bouche bée, je la regarde sortir du salon en emportant sa prise. Alors seulement je remarque que le concert est fini. Toutes les filles ont fui, ne laissant dans le salon que les monitrices armées de balais.

— Hou ! Ça en valait la peine, souffle Cédric.

Le grand chef d'orchestre et son unique admirateur rentrent triomphalement au chalet des garçons. Mais ils sont accueillis par un agressif :

— D'où sortez-vous, tous les deux ?

Le moniteur darde sur nous un regard de chacal. Plein de mots se bousculent dans ma tête. Ils cherchent à former une phrase, mais laquelle ? Cédric est au bord des larmes quand il balbutie :

— On s'est p… p… perdus, monsieur.

Malgré son anneau dans l'aile du nez et ses dix-sept ans à peine sonnés, le moniteur nous prend dans ses bras avec des airs de papa poule.

— Vous voyez ce qui arrive quand on fait bande à part. Il ne faut pas être timides comme ça, les petits loups.

Mon nouveau compagnon lève vers lui des yeux de pitou piteux. Cédric n'a pas fini de m'épater, je le sens.

Chapitre 4

Une semaine folle, folle, folle !

— Tu vas passer tes après-midis à ramasser des insectes ? T'es fou ?

Voilà ce que m'a dit Cédric quand il a appris mon inscription à l'activité d'entomologie. Je lui ai répondu qu'il avait lui-même « ramassé » une centaine d'araignées avant de venir ici.

— Et ça m'a suffi pour la vie ! a-t-il rétorqué.

Puis, avec un petit rire grinçant :

— Je suis certain que le braillard d'à côté a coché les mêmes niaiseries que toi, sur sa fiche d'inscription.

Dans le mille ! De 13 heures à 14 heures, Antonin « le braillard » chasse les papillons et les scarabées en ma compagnie, pendant que Cédric fait du tir à l'arc. Et le soir, il a choisi comme moi la lecture individuelle. Nous lisons donc, de chaque côté de la mince cloison qui sépare nos chambres, pendant que Cédric joue aux cartes dans le salon.

Mais, bon, il ne s'agit que de deux petites heures par jour. Le reste du temps, je redeviens le nouveau Julien qui fait des blagues avec Cédric. Je ne m'amuse pas comme un petit fou, je m'amuse comme mille grands fous !

Surtout pendant la baignade ! Sous notre nom de code de CRABES AUX PINCES D'OR, nous plongeons sous l'eau pour pincer les jambes des filles. Par contre, j'aime moins quand mon compagnon rit d'Antonin parce qu'il nage comme un petit chien. Ça me rappelle mes pénibles cours de natation.

En plus, j'aimerais mieux rire de quelqu'un d'autre... Parce que Dounia, la belle fille aux araignées, est devenue l'amie de notre voisin dès la première activité d'entomologie. Pas moyen de se moquer d'Antonin sans qu'elle me jette un regard assassin !

Bof ! de toute façon, je n'ai plus aucune chance de plaire à la merveilleuse dompteuse de mygales. Hier, j'ai voulu empêcher Cédric de coincer un crapaud dans son maillot. Hé bien ! j'aurais mieux fait de me sauver ! Quand Dounia a senti le crapaud dans son dos, elle s'est retournée et elle n'a vu que moi. Le coupable, lui, avait déjà plongé sous l'eau !

Elle avait de ces yeux ! À mon avis, elle s'entraîne à pulvériser les gens d'un seul regard. Sa technique n'est peut-être pas encore au point, mais elle a tout de même réussi à me paralyser sur place.

Je suis resté comme une statue dans l'eau, pendant qu'Antonin glissait la main DANS le maillot de bain de « ma » belle pour en retirer le crapaud. Le chevalier servant a eu droit à un magnifique sourire. Puis ils sont partis ensemble à la nage. Elle comme une truite, lui comme le vilain petit canard que j'ai déjà été.

Non, je ne l'aime pas toujours, Cédric.

Sauf qu'avec lui, mon coeur bat souvent comme jamais. Par exemple, lorsque nous nous sommes promenés dans le chalet des filles, en pleine nuit, sans qu'une seule ne se réveille ! Nous avons jeté sur chaque lit de petits mots doux faussement signés par les autres garçons. J'étais mort de trouille, mais j'avais comme de l'électricité dans les veines.

Le lendemain, nous avons manqué mourir de rire en voyant comment les filles regardaient les garçons.

Malgré tout, je commence à m'ennuyer un peu de ma famille. Surtout aujourd'hui, samedi, le jour de la visite. Personne ne vient nous voir, Cédric et moi. Sa mère et mes parents sont partis trop loin. En plus, ils sont en vacances de nous.

Il n'y a aucune activité obligatoire : l'après-midi est « libre. » Pour l'instant, on regarde par la fenêtre en attendant d'inventer un autre bon coup.

— Tu parles d'un bébé ! s'écrie soudain Cédric. Regarde-le avec son père !

Antonin marche près du lac en tenant un homme par la main. Soudain l'homme s'arrête et le serre contre lui.

— Je parie qu'il braille, lance encore Cédric. Tiens, j'ai une idée ! On va aller voir ce qui se cache dans son médaillon !

Il parle du drôle de pendentif qu'Antonin tenait dans son poing, le premier jour. Très vite, on s'est aperçu que la chaîne retenait un médaillon qui s'ouvrait. Notre voisin a toujours le nez fourré dedans !

Cédric se précipite dans la chambre voisine. Lorsque je le rejoins, il fouille déjà dans la commode. Je décide alors de guetter par la fenêtre, au cas où un de nos deux voisins reviendrait. Après les tiroirs, mon compagnon s'attaque au sac à dos. Il se penche ensuite sous le lit. Puis il soulève l'oreiller. Bingo !

Chapitre 5

Un sale coup !

Pas facile à ouvrir, ce bijou. En plus, on dirait qu'il est en vie. Ploc ! Ploc ! Deux fois il saute des doigts de Cédric pour rebondir sur le plancher. Bah ! S'il y tient tant que ça !

Nous voilà agenouillés devant le médaillon qui nous révèle enfin son secret : le visage d'une femme souriante.

— Ce doit être la « tite mouman » à son « tit Tonin », dit Cédric, moqueur.

Je ricane sans trop savoir pourquoi. Puis, je m'arrête net :

— Qu'est-ce que tu fais ?

Cédric empoche le pendentif.

— Je veux juste voir la tête qu'il fera ce soir en le cherchant.

Il en rit déjà. Pour ne pas être en reste, j'exerce mon nouveau talent pour les bonnes blagues :

— Oui, mais avec toutes les larmes qu'il va verser, as-tu pensé aux risques d'inondation ? Tu imagines les manchettes, demain ?

Cédric me bouscule vers le corridor. Je le pousse dans notre chambre.

— Je vais cacher son précieux bijou au fond de mon sac à linge sale, sous mes sous-vêtements, fait-il en rigolant.

À la cloche du souper, nous passons lentement devant la chambre voisine. Cédric me donne un coup de coude. On voit les pieds d'Antonin qui dépassent de sous son lit. Les draps sont en bataille. Assis sur l'autre couchette, son compagnon soupire :

— Ça fait juste dix fois que je te le répète : je ne sais pas où il est, ton médaillon !

Cédric poursuit son chemin en pouffant. Je souris.

À table, je trouve déjà ça moins drôle. Antonin fait peine à voir.

On dirait qu'il fond dans ses vêtements. Seuls ses yeux sont plus grands que jamais, occupés à chercher tout autour le coupable.

Son regard s'attarde un peu trop sur moi et sur Cédric. Je ne sais plus où regarder. J'ai du mal à avaler chacune de mes bouchées !

Au dessert, Antonin arrête de chercher le voleur. Son regard triste à mourir reste fixé droit devant lui. Et droit devant lui, il y a moi !

— On pourrait lui redonner son bijou, maintenant, dis-je à Cédric, dès que nous quittons la salle à manger.

— Quoi ? Tu veux aller le lui remettre en mains propres ? Vas-tu t'excuser pendant que tu y es ?

— Pourquoi pas ?

— Jamais ! Ce médaillon-là doit retourner à sa place en cachette. Il faut donc attendre qu'il n'y ait personne dans la chambre. Et selon moi, le meilleur moment sera demain soir, pendant le grand jeu de nuit.

— Dans vingt-quatre heures ?

— Bien... Oui...

— Pourquoi on n'irait pas pendant le feu de camp, ce soir ?

— Ah, non ! C'est ce que je préfère, le feu de camp ! Pas question que je manque une seule guimauve !

— J'irai, moi...

— Tout seul ?

Ça ne me tente pas tellement, mais je réponds « oui ». Je ne trouve pas très joli ce qu'on a fait aujourd'hui et j'ai hâte d'en avoir fini.

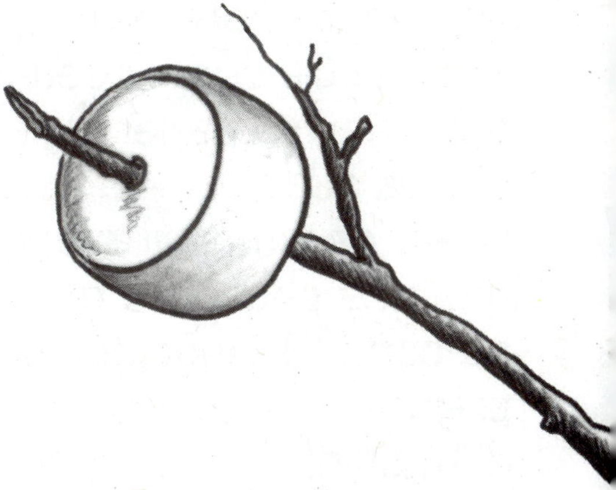

Nous sommes maintenant dimanche matin et ma cuillère a du mal à bien viser mon bol de céréales. Je n'ai pas quitté le feu de camp, hier soir. À quoi bon ? Antonin était resté dans sa chambre, à pleurer. Et il a continué toute la nuit.

S'il avait choisi de manger des guimauves, comme tout le monde, il l'aurait son médaillon !

Depuis le début du petit déjeuner, il se tient dans un coin de la salle, en grande conversation avec le chef de camp.

Bon ! Ce dernier demande le silence. Il va parler et je n'aime pas ça du tout.

— Les amis, il s'est passé quelque chose de grave, hier, au camp Beauséjour. Un objet précieux a disparu de la chambre d'Antonin.

J'imagine déjà les menottes à mes poignets…

— Il s'agit d'un médaillon en or d'une grande valeur, tant monétaire que sentimentale. C'est la maman d'Antonin qui lui a remis ce bijou, juste avant de mourir. Elle lui a demandé de l'ouvrir le plus souvent possible. De cette façon, elle pourrait lui sourire encore, malgré son départ. C'était comme un moyen de rester un peu auprès de son fils qu'elle aimait tant.

Le coeur serré, je me tourne vers Cédric. Je m'attends à partager nos regrets du coin de l'oeil. Mais mon compagnon fixe le chef de camp, le regard dur, les mâchoires serrées.

— Antonin ne désire de punition pour personne. Il veut juste ravoir le souvenir de sa maman. Je laisse donc aux voleurs jusqu'à demain matin, lundi, pour remettre ce qu'ils ont pris. Sinon, il y aura une enquête et ça ira très mal pour le ou les coupables.

De retour dans la chambre, je me laisse tomber sur le lit en murmurant :

— Quelle histoire ! Avoir su…

— Avoir su quoi ? demande Cédric.

— Bien, que sa mère était morte…

— Et puis après ? Moi, mon père est parti pour toujours et tu peux être sûr qu'il ne m'a pas laissé de médaillon en or : il ne m'a même pas laissé d'adresse ! Est-ce que je fais tout un drame avec ça ? Est-ce que j'embête les autres avec mes larmes de bébé ? Faudrait qu'il s'endurcisse un peu, le petit Antonin.

— Oh… pardon ! Je… je ne savais pas, pour ton père.

ARRÊTE DE ME
REGARDER COMME ÇA !
JE NE T'AI PAS DIT QUE
QUE MON PÈRE ÉTAIT UN
MARTIEN !

EXCUSE-MOI...
EN TOUT CAS, J'AI QUAND
MÊME HÂTE DE LUI RE-
DONNER SON MÉDAILLON,
À ANTONIN...

L'oeil méprisant, Cédric laisse tomber :

— On ne le lui redonnera pas.

— Comment ça ?

— Tu sais ce que ça veut dire, une grande valeur monétaire, Julien Potvin ?

— Que ça vaut cher ?

— C'est ça ! Ça veut dire que j'ai fait un vrai bon coup, hier.

— T'es malade ?

— Au contraire. Et toi, tu fermes ta grande boîte. N'oublie pas que tu es mon complice. Si tu bavasses, tu vas le regretter !

Je suis trop étonné pour la fermer, ma grande boîte. Elle reste aussi grande ouverte que mes yeux ronds. Il faut que Cédric comprenne le bon sens.

— Pense à l'enquête ! Je suis certain que nous sommes les suspects numéro un dans cette affaire. Je ne veux pas être accusé de vol, moi !

Mon compagnon ricane. Avec un air dur que je ne lui connais pas, il rétorque :

— Tu lis trop, Julien. On se croirait en plein roman policier ! Crois-tu que je suis assez bête pour laisser la pièce à conviction dans mon sac à linge sale ?

Chapitre 6

Le complice

Le grand jeu de nuit de dimanche soir est une sorte de partie de cache-cache en forêt, avec des lampes de poche. Ma tête embrouillée n'arrive pas à enregistrer les règles du jeu. Nous sommes en équipe, en tout cas. Certains se cachent, d'autres cherchent. On doit communiquer entre nous par des cris d'animaux. C'est terriblement compliqué et j'essaie de démêler ça quand Cédric me tire par le bras en criant à notre chef d'équipe :

— Nous deux, on va se cacher par-là !

Sans allumer nos lampes de poche, nous courons jusqu'au grand tronc mort, derrière le petit bois d'épinettes. Tout blanc sans son écorce, on le voit bien, même la nuit.

— Tu sais, David, mon ami de l'été dernier ? commence Cédric, tout essoufflé.

Je réponds que oui. Il m'a déjà parlé de ce fameux David. Celui à qui on a interdit le camp cette année, à cause de tous ses mauvais coups.

— Eh bien, il a planqué beaucoup de choses ici, continue Cédric. Mais il faut être deux pour ça.

Je comprends que je dois

m'accroupir pour le faire monter debout sur mes épaules. Puis le dos accoté au tronc lisse, je redresse les jambes. Je me doute bien de ce que trafique mon compagnon, là-haut : il sort le médaillon de sa poche et le glisse dans un trou de l'arbre mort.

Dommage que l'inscription de son David ait été refusée. Cédric se serait encore tenu avec lui et il ne m'aurait pas choisi comme complice. Autrement, je serais sans doute devenu l'ami d'Antonin…

— Tu peux arrêter de trembler, Julien ! se moque Cédric en sautant de mes épaules. Personne ne va retrouver la « pièce à conviction » ici.

— Les moniteurs n'ont pas découvert la cachette de ton ami, l'an passé ?

— Non, David s'est fait pincer pour toutes sortes de raisons, mais l'arbre est resté secret. On est venu chercher nos trésors le dernier jour, quand les parents arrivaient et que tout le monde était occupé. On va faire pareil cette année, toi et moi.

Je ne lui demande pas ce que David a caché là ni s'il a tout gardé pour lui. Je m'en fous. J'ai juste hâte d'aller me coucher. Hâte que ce foutu camp finisse !

Comme en rêve, je continue à suivre Cédric, le laissant pousser tout seul ses cris d'animaux. Notre équipe gagne le fameux jeu de nuit, sans que je comprenne comment.

Lundi midi, des moniteurs viennent fouiller notre chambre et, naturellement, ils repartent bredouilles. J'aurais pu leur dire : « Ce que vous cherchez est caché dans le grand tronc mort, vous savez, derrière le petit bois d'épinettes. »

Oui, j'aurais dû le dire, mais j'en étais simplement incapable. Le pire, c'est que Cédric, lui, n'avait même pas peur que je parle. Pourquoi est-il aussi sûr de moi ? Est-ce que ça paraît tant que ça, que je suis peureux ?

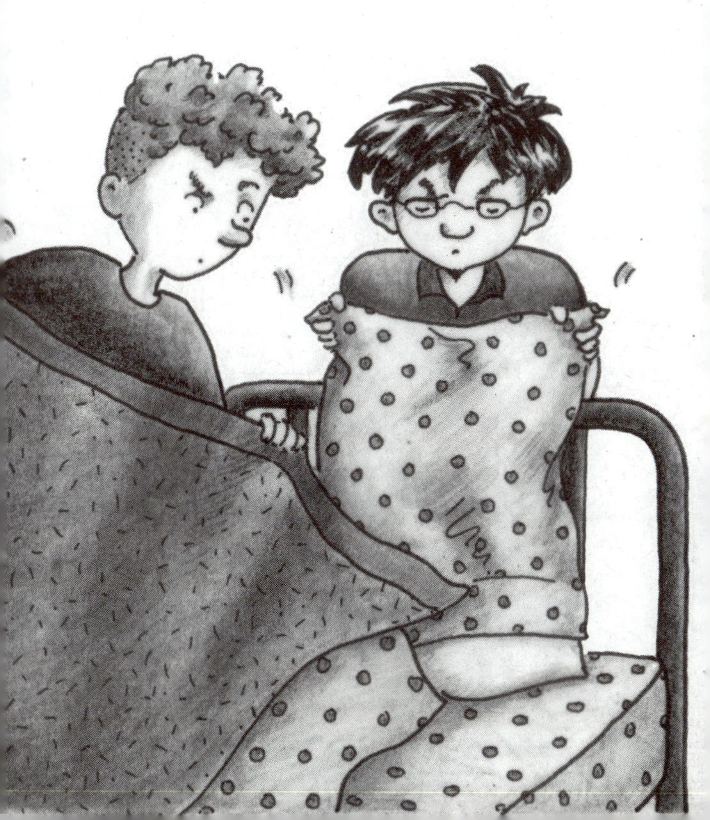

Antonin ne se présente pas à l'activité d'entomologie. Ces recherches ratées le rendent trop malheureux, je suppose. La belle dompteuse de mygales me lance ses regards paralysants et je garde le plus possible la tête plongée dans les fougères.

Je n'arrive plus à rire avec Cédric. Quelque chose s'est cassé. Le soir, après le couvre-feu, je refuse d'aller avec lui chiper des biscuits à la cuisine. Je lui dis que je n'ai pas faim.

— Veux-tu qu'on allume nos lampes de poche et qu'on joue à la bataille navale ? demande-t-il.

— Non, laisse-moi dormir.

Dans quel piège suis-je tombé ? Je n'ai plus envie d'être le complice d'un sale coup pareil. Mais comment m'en sortir ? Dénoncer mon ami ? Ça non plus, je n'en ai pas envie. À moins que… Oh ! Je ne sais pas…

J’ai mal dormi. À la baignade de ce matin, j’ai nagé loin de Cédric. C’est drôle : tout seul, il n’agace plus les filles.

Cet après-midi, Antonin est à l’activité d’entomologie. Je sais ce que je vais faire. J’y ai pensé cette nuit, mais j’étais certain de me dégonfler. Pourtant non… Le moniteur nous donne le signal de nous disperser pour la chasse aux insectes. Je m’approche d’Antonin et je lui glisse à l’oreille :

— Suis-moi discrètement. Je sais où est ton médaillon.

On voit bien qu'il se méfie. Moi, je me dirige lentement vers le petit bois aux épinettes. Mon filet semble prêt à s'abattre sur le premier spécimen rare. Un coup d'oeil par derrière : tout va bien, Antonin fait pareil.

Au tronc, je m'assure qu'il n'y a personne dans les parages. J'explique à Antonin qu'il doit grimper sur mes épaules.

— Tu trouveras ce que tu cherches, là-haut.

En s'étirant au maximum, il réussit à entrer la main dans le trou.

— Je l'ai ! s'exclame-t-il bientôt en sautant par terre.

Passé quelques secondes de joie, il demande :

— C'est Cédric ?

Je lui raconte alors notre mauvais tour, puis cette curieuse décision de ne pas remettre l'objet.

Soudain, j'aperçois des bouclettes noires au-dessus des fougères.

— Dounia !

Elle bondit sur ses pieds.

— Je vous ai suivis, parce que je pensais que tu préparais un autre de tes mauvais coups. Eh bien, je me suis trompée !

Pour la première fois, elle me sourit. Je devrais être heureux, mais je suis trop honteux. Pas fier de moi, je supplie presque :

— S'il vous plaît, gardez tout ça pour vous deux. Je te demande même de ne dire à personne que tu as retrouvé ton pendentif, Antonin. Bien sûr, je devrais être plus brave, mais je partage la chambre de Cédric pour quatre jours encore. J'aimerais mieux qu'il ne se doute de rien avant samedi. Le dernier jour, vous comprenez, il ne pourra plus grand- chose contre moi…

Je me sens tellement minable. Une pauvre poule mouillée ! Pourtant, Antonin me tapote l'épaule en souriant :

— Je comprends tout à fait ça, Julien.

Et… et… Dounia m'embrasse sur la joue !

Nous revenons à la course, nos filets au vent, le coeur léger comme les papillons que nous n'avons pas attrapés.

Chapitre 7

La révélation

Le samedi du départ a fini par arriver. Cédric et moi, nous faisons nos bagages en silence. De temps en temps, mon compagnon me jette un drôle de regard. Je sais très bien pourquoi, mais je n'en laisse rien paraître.

Jeudi dernier, j'ai fait une découverte étonnante. J'étais parti à la douche quand j'ai dû revenir à la chambre parce que j'avais oublié mon savon. Pieds nus, je ne faisais pas beaucoup de bruit et j'ai surpris Cédric, assis par terre, qui regardait quelque chose à l'intérieur d'une petite boîte plate. Il l'a refermée et l'a glissée sous son matelas, sans m'apercevoir.

Instinctivement, j'ai fait un pas de côté pour me mettre hors de vue, derrière le mur du corridor. Je ne suis entré qu'après quelques secondes, en marchant plus fort cette fois.

Cédric me cachait quelque chose. Mais quoi ?

Le soir, quand il est parti jouer aux cartes, je n'ai pas pu résister à la curiosité. De toute façon, j'ai fait comme lui-même aurait fait. J'ai interrompu ma lecture pour plonger la main sous le matelas.

La boîte de cigarillos ne renfermait qu'une photo : Cédric, plus petit, dans les bras d'un homme souriant. Le papa parti sans laisser d'adresse, sans doute…

Je n'en revenais pas. Finalement, avec leurs photos, Antonin et lui vivaient la même chose.

Non, pas tout à fait, si l'on y pense bien. Le premier regardait le portrait d'une maman qui n'avait pas voulu partir. Il était toujours certain qu'elle l'aimait. Tandis que Cédric...

Je me suis alors rappelé la dureté de son regard, lorsque le chef de camp nous a raconté l'histoire du médaillon. Et j'ai fini par comprendre sa stupide décision. C'était de la jalousie.

Je suis resté là à fixer la photo de ce papa qui allait abandonner son enfant... Est-ce que le fait d'avoir une excuse « excusait » justement Cédric ? Depuis deux jours, je me demandais si j'avais bien fait de ne pas le dénoncer. Et malgré la découverte de son secret, je n'arrivais toujours pas à répondre à ma question.

Soudain, j'ai eu une idée.

Dans la chambre d'à côté, Antonin lisait seul, lui aussi. Je suis allé lui remettre la petite boîte.

Cédric ne pouvait pas regarder sa photo secrète bien souvent, puisque j'étais toujours dans les parages. Il n'a constaté le vol que le lendemain, vendredi, avant mon retour de l'activité d'entomologie. Je le sais, car il m'a accueilli dans la chambre avec son premier regard accusateur.

— Qu'est-ce qu'il y a ? lui ai-je demandé, en prenant mon air le plus innocent.

— Heu… rien… a-t-il été obligé de répondre.

Il n'allait tout de même pas me parler de la photo de son père. Et si je n'étais pas le coupable, de quoi aurait-il l'air ? D'un Antonin ?

À cet instant, il m'a paru complètement désemparé. Ça me faisait de la peine. Mais tant pis : s'il n'était pas capable de se mettre tout seul à la place des autres, il fallait bien que je l'aide un peu.

Depuis hier, il est très nerveux. Le pauvre, il ne peut demander d'aide à personne. Pas même à moi. Nos bagages sont faits. Tout à l'heure, il devra quitter le camp sans sa précieuse photo…

On entend des exclamations dans le corridor. Les premiers parents arrivent.

— C'est le temps d'aller chercher le médaillon, murmure Cédric.

— Allons-y !

Je n'ai plus aucune crainte. Je suis enfin certain d'avoir fait la bonne chose. Pour la dernière fois, nous courons dans les bois comme deux voleurs. Et mon coeur bat peut-être encore plus fort que jamais.

À l'arbre mort, je hisse Cédric sur mes épaules. J'entends très bien son petit cri de surprise. Il saute en tenant sa mince boîte et je me rends compte à l'instant que je n'ai pas préparé d'explication. Lui non plus ne parle pas. Mais nos regards en disent long. Cédric sait que j'ai tout compris, pour son père, pour sa jalousie.

Il se détourne soudain et fuit très vite. Moi, je reviens tranquillement, les mains dans les poches.

Cédric est déjà dans la voiture de sa mère quand j'arrive au chalet. Elle passe devant moi et, comme il me regarde par la fenêtre, je lui fais un signe de la main. Il hésite un peu, puis il me sourit.

Je croise Antonin et son père dans le corridor.

— Qu'est-ce qu'il a fait quand il l'a trouvé ? me demande mon nouveau complice.

— Rien. Je crois bien qu'il a enfin compris quelque chose.

— C'est ton ami ? s'informe gentiment le papa.

Ça nous fait rire, lorsque je réponds :

— Disons qu'on a un peu manqué notre chance.

— Mais on peut se reprendre, dit Antonin.

Il me tend alors un bout de papier où sont inscrites deux adresses Internet, la sienne et celle de Dounia.

Mon ami court rejoindre son père à la porte.

— Merci, Antonin. Je t'écris, c'est promis !

Oh ! Mes parents sont dans la chambre, tellement bronzés qu'on ne voit que leurs grands sourires. Maman se jette sur moi et elle me serre de toutes ses forces en s'écriant :

— Mon petit Julien, enfin !

Puis elle se recule, tout étonnée :

— Mais on dirait que tu as grandi, toi ! Est-ce que je rêve ?

Non, elle ne rêve pas. Soudain, je m'en rends compte : depuis deux semaines, j'ai grandi…

Danielle Simard

La 5e aventure de Julien Potvin se terminait le dernier vendredi d'école. Aussi, je me suis dit que la 6e devait se dérouler pendant l'été.

Et si Julien allait en colonie de vacances ? Loin de sa maman, loin d'Odile le crocodile, loin de ses amis ou de ses ennemis habituels ! Qu'arriverait-il ? Serait-il toujours le même ? Un personnage peut-il changer à sa guise ?

Bien sûr, un personnage peut évoluer. Mais quand j'ai commencé à inventer cette histoire, je savais déjà que Julien resterait toujours le gentil Julien, même s'il arrivait à tromper les autres pendant quelques jours.

Je le connais trop. C'est comme si je l'avais tricoté !

Ta semaine de lecture avec Julien Potvin

Le champion du lundi

Julien est un élève modèle. Il recevra la médaille du Champion du lundi... mais cette médaille lui en fera voir de toutes les couleurs !

Le démon du mardi

Julien suit des cours de natation. Mais il y a aussi Lucie Ferland, qui se moque de lui tout le temps. Un cauchemar ? Sûrement, s'il n'y avait Gabrielle que Julien aime en secret...

Le monstre du mercredi

Odile place les élèves en équipe de deux. Julien se retrouve avec le monstre de la classe ! Comment se sortira-t-il des griffes de Steve ?

Les petites folies du jeudi

Julien et Michaël sont tous deux amoureux de Gabrielle. Michaël propose de lui acheter un cadeau. Julien n'a pas d'argent de poche. Suffit-il d'en avoir pour déclarer son amour ?

Le macaroni du vendredi

Julien doit faire un exposé oral démontrant ce qu'il réussit d'extraordinaire en dehors de l'école. Julien veut épater ses amis. Mais comment ? Un champion du lundi peut-il devenir la nouille du vendredi ?

MA PETITE VACHE A MAL AUX PATTES

1. *C'est parce que...*, de Louis Émond, illustré par Caroline Merola.
2. *Octave et la dent qui fausse*, de Carmen Marois, illustré par Dominique Jolin.
3. *La chèvre de monsieur Potvin*, de Angèle Delaunois, illustré par Philippe Germain, finaliste au Prix M. Christie 1998.
4. *Le bossu de l'île d'Orléans*, une adaptation de Cécile Gagnon, illustré par Bruno St-Aubin.
5. *Les patins d'Ariane*, de Marie-Andrée Boucher Mativat, illustré par Anne Villeneuve.
6. *Le champion du lundi*, écrit et illustré par Danielle Simard.
7. *À l'éco...l...e de monsieur Bardin*, de Pierre Filion, illustré par Stéphane Poulin, Prix Communication-Jeunesse 2000.
8. *Rouge Timide*, écrit et illustré par Gilles Tibo, Prix M. Christie 1999.
9. *Fantôme d'un soir*, de Henriette Major, illustré par Philippe Germain.
10. *Ça roule avec Charlotte !*, de Dominique Giroux, illustré par Bruno St-Aubin.
11. *Les yeux noirs*, de Gilles Tibo, illustré par Jean Bernèche. Prix M. Christie 2000.
12. *Les mystérieuses créatures* (ce titre est retiré du catalogue).
13. *L'Arbre de Joie*, de Alain M. Bergeron, illustré par Dominique Jolin. Prix Boomerang 2000.
14. *Le retour de monsieur Bardin*, de Pierre Filion, illustré par Stéphane Poulin.

15. *Le sourire volé*, de Gilles Tibo, illustré par Jean Bernèche.
16. *Le démon du mardi*, écrit et illustré par Danielle Simard. Prix Boomerang 2001.
17. *Le petit maudit*, de Gilles Tibo, illustré par Hélène Desputeaux.
18. *La Rose et le Diable*, de Cécile Gagnon, illustré par Anne Villeneuve.
19. *Les trois bonbons de monsieur Magnani*, de Louis Émond, illustré par Stéphane Poulin.
20. *Moi et l'autre*, de Roger Poupart, illustré par Marie-Claude Favreau.
21. *La clé magique*, de Gilles Tibo, illustré par Jean Bernèche.
22. *Un cochon sous les étoiles*, écrit et illustré par Jean Lacombe.
23. *Le chien de Pavel*, de Cécile Gagnon, illustré par Leanne Franson. Finaliste au Prix du Gouverneur général 2001.
24. *Frissons dans la nuit*, de Carole Montreuil, illustré par Bruno St-Aubin.
25. *Le monstre du mercredi*, écrit et illustré par Danielle Simard.
26. *La valise de monsieur Bardin*, de Pierre Filion, illustré par Stéphane Poulin.
27. *Zzzut !* de Alain M. Bergeron, illustré par Sampar. Prix Communication-Jeunesse 2002.
28. *Le bal des chenilles* suivi de *Une bien mauvaise grippe,* de Robert Soulières, illustré par Marie-Claude Favreau.
29. *La petite fille qui ne souriait plus*, de Gilles Tibo, illustré par Marie-Claude Favreau. Finaliste du Prix M. Christie 2002. Prix Odyssée 2002, Prix Asted 2002.
30. *Tofu tout flamme*, de Gaétan Chagnon, illustré par Philippe Germain.

31. *La picote du vendredi soir*, de Nathalie Ferraris, illustré par Paul Roux.
32. *Les vacances de Rodolphe*, de Gilles Tibo, illustré par Jean Bernèche.
33. *L'histoire de Louis Braille*, de Danielle Vaillancourt, illustré par Francis Back. Prix Boomerang 2003.
34. *Mineurs et vaccinés,* de Alain M. Bergeron, illustré par Sampar. 2e position au Palmarès de Communication-Jeunesse 2003.
35. *Célestin et Rosalie,* de Cécile Gagnon, illustré par Stéphane Jorisch.
36. *Le soufflé de mon père,* d'Alain Raimbault, illustré par Daniel Dumont.
37. *Beauté monstre,* de Carmen Marois, illustré par Anne Villeneuve. Prix d'illustration du Salon du livre de Trois-Rivières 2003, catégorie Petit roman illustré
38. *Plume, papier, oiseau,* de Maryse Choinière, illustré par Geneviève Côté. Finaliste au Prix d'illustration du Salon du livre de Trois-Rivières 2003, catégorie Petit roman illustré.
39. *Gustave et Attila*, de Marie-Andrée Boucher Mativat, illustré par Pascale Bourguignon. Prix d'illustration du Salon du livre de Trois-Rivières 2003, catégorie Relève.
40. *Le trésor d'Archibald*, de Carmen Marois, illustré par Anne Villeneuve.
41. *Joyeux Noël monsieur Bardin !* de Pierre Filion, illustré par Stéphane Poulin.
42. *J'ai vendu ma sœur*, écrit et illustré par Danielle Simard. Prix du Gouverneur général du Canada 2003, finaliste au Prix d'illustration du Salon du livre de Trois-Rivières 2003, catégorie Petit roman illustré.
43. *Les vrais livres,* de Daniel Laverdure, illustré par Paul Roux.

44. *Une flèche pour Cupidon,* de Linda Brousseau, illustré par Marie-Claude Favreau.
45. *Guillaume et la nuit,* de Gilles Tibo, illustré par Daniel Sylvestre.
46. *Les petites folies du jeudi*, écrit et illustré par Danielle Simard. Prix Communication-Jeunesse 2004, Grand Prix du livre de la Montérégie 2004.
47. *Justine et le chien de Pavel*, de Cécile Gagnon, illustré par Leanne Franson.
48. *Mon petit pou,* d'Alain M. Bergeron, illustré par Sampar. 4e position au Palmarès de Communication-Jeunesse 2004.
49. *Archibald et la reine Noire*, de Carmen Marois, illustré par Anne Villeneuve.
50. *Autour de Gabrielle*, des poèmes d'Édith Bourget, illustrés par Geneviève Côté.
51. *Des bonbons et des méchants*, de Robert Soulières, illustré par Stéphane Poulin.
52. *La bataille des mots*, de Gilles Tibo, illustré par Bruno St-Aubin.
53. *Le macaroni du vendredi*, écrit et illustré par Danielle Simard. Grand Prix de la Montérégie 2005
54. *La vache qui lit*, écrit et illustré par Caroline Merola.
55. *M. Bardin sous les étoiles*, de Pierre Filion, illustré par Stéphane Poulin.
56. *Un gardien averti en vaut... trois*, d'Alain M. Bergeron, illustré par Sampar.
57. *Marie Solitude*, de Nathalie Ferraris, illustré par Dominique Jolin.
58. *Maîtresse en détresse*, de Danielle Simard, illustré par Caroline Merola.
59. *Dodo, les canards !* d'Alain Raimbault, illustré par Daniel Dumont.

60. *La chasse à la sorcière*, de Roger Poupart, illustré par Jean-Marc St-Denis.
61. *La chambre vide*, de Gilles Tibo, illustré par Geneviève Côté.
62. *Dure nuit pour Delphine*, de Johanne Mercier, illustré par Christian Daigle.
63. *Les tomates de monsieur Dâ*, d'Alain Ulysse Tremblay, illustré par Jean-Marc St-Denis.
64. *Justine et Sofia*, de Cécile Gagnon illustré par Leanne Franson.
65. *Le sale coup du samedi*, écrit et illustré par Danielle Simard.
66. *Les saisons d'Henri*, d'Édith Bourget, illustré par Geneviève Côté.
67. *Jolie Julie*, de Gilles Tibo illustré par Marie-Claude Favreau.
68. *Le jour de l'araignée*, d'Alain M. Bergeron, illustré par Bruno St-Aubin.

Ce livre a été imprimé sur du papier Sylva enviro·100 % recyclé, traité sans chlore, accrédité Éco-Logo et fait à partir d'énergie biogaz.

Achevé d'imprimer
sur les presses de Marquis Imprimeur
en juin 2007